Y Bwbach Bach Unig

Cyhoeddwyd gyntaf yn 2018 gan
Wasg Gomer, Llandysul, Ceredigion, SA44 4JL
www.gomer.co.uk

ISBN: 978 1 78562 282 3

Cyhoeddwyd gyda chymorth ariannol Cyngor Llyfrau Cymru.

Argraffwyd a rhwymwyd yng Nghymru gan
Wasg Gomer, Llandysul, Ceredigion SA44 4JL.

Y Bwbach Bach Unig

GRAHAM HOWELLS

ADDASIAD
ANGHARAD ELEN

Gomer

Ar fryn bach anghysbell yng ngogledd Cymru, safai hen fwthyn trist. Yn arwain tuag ato roedd llwybr serth a throellog, a bysedd y coed yn crymanu'n fwa cnotiog ar ei hyd. Bu'r bwthyn yn wag ers oes yr arth a'r blaidd. Roedd yr hen ddrws wedi gweld dyddiau gwell a'r nenfwd yn gollwng. Roedd y tyllau yn y to yn ddigon mawr i frain gael mynd a dod fel y mynnent. Chwibanai'r gwyntoedd chwerw drwy'r craciau yn chwareli'r ffenest ac i fyny'r simne. Fyddai neb yn ymweld â'r hen fwthyn bellach, ac o dipyn i beth, roedd y pedwar gwynt a threigl amser wedi ei droi'n furddun.

Ers cyn cof, roedd y bwthyn yn destun myrdd o straeon rhyfedd. Dywedai rhai fod ysbrydion yn llusgo'u traed yno, tra honnai eraill fod Bwbach yn trigo yno, creadur direidus, hudol, sy'n amheus o bobl ddieithr. Er na wyddai neb i sicrwydd, y gred oedd fod y Bwbach wedi aros yno, ymhell, bell ar ôl i'r teulu olaf adael.

Bu'r Bwbach bach yn byw yn y tŷ ers dwy ganrif a hanner, ers pan godwyd y bwthyn. Doedd yna'r un lle arall ar wyneb daear ble y gallai'r Bwbach fyw – dyna'r gwir plaen amdani. Am flynyddoedd unig a maith, bu'r Bwbach bach yn aros yn amyneddgar i'r teulu ddychwelyd. Ddydd a nos, drwy dro'r tymhorau a thrwy law a hindda, bu'n eistedd wrth y ffenest fach yn cadw llygad ar y llwybr troellog, ond welodd o'r un enaid byw. Neb, hynny yw, tan y diwrnod hyfryd hwnnw o Fai, pan gerddodd dau ddyn i fyny'r llwybr tuag at y tŷ.

Meddyliodd y Bwbach fod hyn yn arwydd da; efallai y byddai'r teulu'n dychwelyd adref o'r diwedd! Ar ôl yr holl flynyddoedd o aros a dyheu am gwmni, roedd y Bwbach bach yn cael trafferth cadw'n dawel! Ond rywsut, llwyddodd i guddio yn y cysgodion, gan wylio'r dynion yn mynd o gwmpas eu pethau.

Dilynodd y dynion am rai dyddiau wrth iddyn nhw fesur hyd a lled y bwthyn ac ysgrifennu nodiadau am bob twll a chornel ohono. Yna, fe adawodd y ddau ddyn a daeth tawelwch i lenwi'r bwthyn unwaith eto – am ryw hyd.

Ond yna, gwawriodd y diwrnod brawychus.

Cyrhaeddodd mintai o ddynion a dechrau dinistrio

ei fwthyn! Safodd y Bwbach yn gegagored, wedi ei rewi i'r unfan, wrth wylio'r dynion yn datgymalu'r tŷ, carreg wrth garreg.

Yn sydyn cofiodd ei bod hi'n ddyletswydd arno i warchod y bwthyn, a chydiodd yn y gweithiwr agosaf ato, gan fwriadu ei godi gerfydd ei goes a'i chwipio yn yr awyr fel lasŵ. Ond ni symudodd y dyn. Ac er iddo ddefnyddio'i holl nerth, methodd y Bwbach bach â'i symud o gwbwl! Yn y gorffennol roedd y Bwbach wedi taflu llabwst o leidr allan drwy ddrws y bwthyn, ac wedi rhoi cic iddo nes ei fod yn drybowndian i lawr y bryn. Pam, felly, na fedrai wneud yr un peth i'r dyn yma? Llamodd y Bwbach bach tuag at weithiwr arall a chydio yn llodrau ei drowsus, ond dim ond datgelu mymryn mwy o ben-ôl y dyn wnaeth hynny!

Er iddo wneud ei orau glas i'w rhwystro, methodd ag atal y gweithwyr rhag dinistrio'r bwthyn. Cafodd pob carreg ei chario ymaith, a'r cwbwl allai'r Bwbach bach ei wneud oedd syllu mewn anghrediniaeth.

Bu'r gweithwyr wrthi am ddyddiau, ac o'r diwedd daeth popeth i ben. Roedd ei gartref wedi mynd. A dyw bwbachod yn dda i ddim os nad oes ganddyn nhw gartref yn y byd dynol. Roedd yna hen goeden yn

ymyl y man lle bu'r bwthyn; yn wir, roedd y Bwbach wedi gweld y goeden yn tyfu o hedyn, ganrifoedd yn ôl. Eisteddodd o dan ei changhennau, wedi ei lorio.

Bu'r Bwbach bach yno drwy'r nos a thrwy gydol y diwrnod canlynol, ac ymlaen fel hyn nes i'r dyddiau a'r nosau droi'n un. Eisteddodd yn dawel a phrudd gan syllu i'r gwagle heb symud gewyn. Roedd ar goll yn llwyr – hyd nes daeth hi'n noson olau leuad. Ers dyddiau, bu'n teimlo amser yn treiglo drosto fel afon, ond ar y noson dyner hon, a'r wybren yn llawn sêr, sylweddolodd y Bwbach fod amser yn dechrau arafu. Ac yna, fe beidiodd amser yn gyfan gwbl. Roedd hi'n ddistaw fel y bedd a phopeth yn gwbwl llonydd.

Yn sydyn a dirybudd, daeth sŵn clecian, a daeth golau bach i ddallu'r Bwbach. Tyfodd y golau'n raddol ac o dipyn i beth, camodd ffigwr hudol allan ohono. Roedd ganddo lygaid disglair, ac o'i ben tyfai cyrn carw. Bron y gallech ddweud fod y creadur hwn yn hŷn nag amser, gan ei fod wedi cerdded drwy fforestydd hynafol y coed cyntaf.

'Eich Mawrhydi!' ebychodd y Bwbach bach, gan blygu glin o flaen y ffigwr arallfydol. A dyna pryd sylweddolodd mai Gwyn ap Nudd oedd hwn, Brenin

9

y Tylwyth Teg, Arglwydd Annwn a Phennaeth Afallon.

Siaradodd y brenin mewn llais mor fas â gwreiddiau'r dderwen. 'Paham dy fod yn brudd, was?'

'Maen nhw wedi dinistrio fy nghartref, Arglwydd!' meddai'r Bwbach wrth foesymgrymu. 'Mae'r cwbwl wedi mynd. Fedrwn i ddim rhwystro'r dynion er imi wneud popeth o fewn fy ngallu i'w herio.' Roedd y Bwbach yn crynu.

'Rwyt ti'n un â ffawd y bwthyn,' meddai'r Brenin yn garedig. 'Gwanhaodd dy bwerau yn sgil dy dristwch ac am iti roi'r gorau i'w defnyddio nhw. Ond daw dydd y byddi'n adennill dy bwerau – creda fi.'

'Ond f'Arglwydd, cefais fy mhenodi'n Warchodwr y bwthyn,' meddai'r Bwbach bach yn benisel. 'Mae'n siŵr gen i fod fy nyletswydd a'm pwerau wedi eu cymryd oddi arna i bellach?'

'Oni fyddet wedi cael dy alw'n ôl i Annwn ers talwm petai hynny'n wir, was?'

'Efallai,' meddai'r Bwbach. 'Ond tybiwn, o leiaf, fy mod wedi f'alltudio o Afallon am byth am imi fethu.'

'Dyw stori dy fwthyn di ddim ar ben eto was. Edrych i'r de ar frys, tuag at Gaer Didius. I'r gorllewin o'r fan honno mae tai Ffagan, ac yn y lle hwnnw fe

fydd dy ddyletswyddau'n cael eu cyflawni.' A gyda hynny, gwenodd Arglwydd Annwn ar y Bwbach bach a diflannu mor sydyn ag y daeth.

… a threiglodd amser unwaith yn rhagor.

Eisteddodd y Bwbach, wedi ei syfrdanu gan y llygedyn hwn o obaith. A fedrai, mewn gwirionedd, achub ei gartref? Llamodd ar ei draed yn llawn egni newydd, gan amau fod Brenin y Tylwyth Teg wedi gadael peth o'i lewyrch yn rhodd iddo.

Doedd dim eiliad i'w cholli! Ond sut allai deithio i gyfeiriad y de? Bu'r llwynogod lleol yn gyfeillion iddo unwaith, felly galwodd arnyn nhw, er y gwyddai na fyddai'r cenawon ieuengaf yn ei adnabod. Ymhen amser, ymddangosodd llwynog blewgoch o'r llwyni gerllaw. Moesymgrymodd. 'At eich gwasanaeth, f'Arglwydd.'

Roedd y Bwbach wedi gwirioni a neidiodd ar gefn y llwynog yn llon. 'Rhaid imi deithio i gyfeiriad y de, lwynog rhadlon, i gyfeiriad y bryniau!' Ac i ffwrdd â nhw ar wib i grombil y tywyllwch.

Buon nhw'n teithio fel y gwynt am filltir ar ôl milltir faith, drwy gaeau a choedwigoedd, a tharth yn codi o'u cwmpas wrth iddyn nhw fynd. O'r diwedd, gwawriodd yn llwyd yn y dwyrain. Roedd y

llwynog yn bell o'i gynefin, a doedd y Bwbach ddim eisiau ei lusgo'n bellach fyth, felly galwodd arno i sefyll ac aros.

'Lwynog hoff,' meddai, 'diolch o galon am dy wasanaeth.' Wrth daflu ei freichiau amdano, teimlodd y Bwbach bach ychydig o'i hen nerth yn dychwelyd. Dadflinodd y llwynog hefyd, yn sgil coflaid y Bwbach.

'Bu'n fraint,' meddai, gan droi yn ei ôl a diflannu i ganol tarth y bore.

Edrychodd y Bwbach bach ar y bryniau serth o'i gwmpas. Doedd o erioed wedi bod mor bell â hyn o'i gartref o'r blaen. Edrychodd tua'r de at y mynyddoedd, a edrychai'n amhosib i'w concro.

Diflannodd y tarth yn llwyr wrth iddi wawrio. Sylwodd y Bwbach ar gigfrain yn hedfan fry uwchben. Gwyddai eu bod yn adar peniog tu hwnt, felly galwodd arnyn nhw: 'A ddof i o hyd i Gaer Didius yn y mynyddoedd acw?'

'Yr unig gaerau yn y mynyddoedd geirwon hyn,' crawciodd yr adar, 'yw'r rhai adawyd gan y cewri, amser maith yn ôl. Mae'n rhaid bod y gaer wyt ti'n chwilio amdani tu hwnt i'r copaon uchaf. Mae'r barcud coch yn adnabod y tiroedd uchaf fel cefn ei law.'

A chyn i neb fedru dweud gair arall, hedfanodd barcud coch o'r cymylau, gan blymio tuag atynt a gwneud cylchoedd yn yr awyr. Yna glaniodd o flaen y Bwbach heb siw na miw. Cyn pen dim, roedd y Bwbach yn eistedd ar gefn yr aderyn ar adain y gwynt ac yn gwibio dros y mynyddoedd mawr.

Gall bwbachod fod yn ysgafnach na phlu os ydyn nhw'n dymuno, a bu'n rhaid i'r barcud coch daro golwg dros ei ysgwydd sawl tro er mwyn gwneud yn siŵr fod y Bwbach bach yn dal yno. Hedfanodd y ddau yn bell ac yn uchel, dros gribau geirwon a llynnoedd gwydr, gloyw. Chwipiwyd y Bwbach yn ddidrugaredd gan y gwynt, ond doedd dim gwahaniaeth ganddo. Câi gysur o wybod ei fod yn nesáu at ei fwthyn.

Teithiodd y barcud coch yn syth i'r de fel yr hed yr aderyn, ond roedd y mynyddoedd mawr o'u blaenau o hyd. Pryderai'r Bwbach am les yr aderyn; wedi'r cyfan roedd y barcud wedi hedfan ymhell, bell o'i gynefin heb orffwys dim. Doedd y Bwbach ddim eisiau gofyn iddo fynd yn bellach. Yn sydyn, gwelodd y Bwbach wreichion lledrithiol ymhell islaw, mewn llyn a ddisgleiriai yn haul y bore. Synnodd y Bwbach yn fawr, gan ei fod wedi byw heb

hud ers blynyddoedd maith. Gofynnodd i'r barcud coch lanio.

Ffarweliodd y Bwbach â'r barcud a'i gofleidio, ac ar ôl derbyn ychydig o'i nerth, hedodd y barcud coch yn ôl i'r gogledd. A dyna sut y bu i'r Bwbach bach ganfod ei hun yn sefyll ar lan llyn, mewn ceudwll enfawr a ffurfiwyd gan y mynyddoedd creigiog o'i gwmpas.

Roedd hi'n dawel a phrydferth yno. Aeth y Bwbach ar ei bedwar ger y llyn ac estyn ei law tuag at y dŵr. Teimlodd dincian yr hud yn y dyfnderoedd ac aeth ias i lawr ei asgwrn cefn. Yna'n sydyn, daeth ffrwydriad o ddŵr a saethodd rhywbeth mawr, gwyrdd ac erchyll o'r llyn! Cymaint ei fraw, syrthiodd y Bwbach bach yn glewt ar ei gefn. Bloeddiodd y bwystfil sgrech erchyll a atseiniodd oddi ar y creigiau o'i gwmpas. Roedd ei adenydd yn enfawr a gwnaeth gylchoedd mileinig gan guro'r awyr yn swnllyd a hyrddio'n isel dros y Bwbach bach, gan fflachio ei ddannedd pigfain!

'Yn enw'r Brenin Gwyrdd, peidiwch!' erfyniodd y Bwbach bach. Gwnaeth ei hun yn belen bitw gron, cau ei lygaid a pharatoi ei hun ar gyfer y diwedd. Ond ddigwyddodd hynny ddim, ac yn y man, sbeciodd y Bwbach drwy un llygad.

 17

Gwelodd y creadur slwtshlyd yn curo'i adenydd, a'i lygaid llwglyd, melyn yn syllu'n ôl arno. Sylweddolodd y Bwbach yn syth beth oedd yr anghenfil dychrynllyd hwn – ie, Dŵr-lamwr!

'Pam fod Bwbach wedi teithio mor bell o'i gartref yn y gogledd, a pham fod e'n tresmasu ar fy nhir i?' bloeddiodd y Dŵr-lamwr, gan glosio at y Bwbach bach a thorri gwynt drewllyd yn ei wyneb.

'Chw… chw… chwilio am fy mwthyn ydw i. Mae 'na ddynion wedi ei ddwyn,' esboniodd y Bwbach bach yn ofnus.

Torrodd y Dŵr-lamwr wynt unwaith yn rhagor, yn hir a swnllyd. 'Dynion? Dwi heb fwyta un o'r rheini ers amser,' meddai, a chraffodd i'r pellter, fel petai'n ceisio cofio pryd yn union.

Llyncodd y Bwbach ei boer cyn mentro siarad. 'Gwyn ap Nudd ei hun ddywedodd wrtha i am fynd i diroedd y de i chwilio am Gaer Didius.'

'Drato!' bloeddiodd y Dŵr-lamwr yn ddig. 'Mae hynny'n golygu na alla i dy fwyta di nawr, felly. Dwi'n gwybod dim am gaerau, ond fel ffafr i'r Brenin Gwyrdd, dere i eistedd ar fy nghefn.'

Doedd y Bwbach bach ddim yn siŵr ai twyll oedd

hyn ai peidio. 'Wyt ti am fy nghludo yr holl ffordd yno?' holodd yn betrusgar.

'Nagw i, y twpsyn Bwbach! Alla i ddim hedfan yn rhy bell o olwg y dŵr.' Torrodd wynt eto. 'Dere mlân!'

'Ond os nad wyt ti'n medru hedfan yn bell o olwg y…'

'Siapa hi!' sgrechodd y creadur, a heb oedi mwy, neidiodd y Bwbach ar gefn cras y Dŵr-lamwr â'i galon yn ei wddf. Daliodd y Bwbach bach yn dynn ynddo a saethodd y creadur slwtshlyd yn uchel i'r awyr. Yna, curodd ei adenydd er mwyn arafu, cyn plymio'n chwim i'r dŵr islaw. Chwibanai'r gwynt drwy adenydd y Dŵr-lamwr ond roedd sŵn gwaedd y Bwbach bach yn uwch!

Â phelten galed, fe drawon nhw'r dŵr gan ergydio'n ddwfn o dan yr wyneb. Cydiodd y Bwbach bach am ei fywyd wrth iddyn nhw droelli'n bendramwnwgl drwy'r tywyllwch a'r swigod, a'r dŵr du'n rhuo yn ei glustiau.

Yn sydyn, saethodd y Dŵr-lamwr a'r Bwbach i fyny i'r awyr, allan o'r dŵr a chydag ergyd drom, fe lanion nhw ar y ddaear. Dringodd y Bwbach bach oddi ar gefn y creadur, gan grynu a phesychu, ac edrych o'i gwmpas. Doedd y llyn mynyddig ddim yno! Yn hytrach, roedd yna bwll bach corslyd yn ymyl iard ysgol gynradd. Yn lle copaon serth a geirwon, roedd yna fryniau bychain, llwyni a choed.

Chwarddodd y Dŵr-lamwr pan welodd y syndod ar wyneb y Bwbach, oedd bellach yn baglu ei ffordd tuag at yr iard wag.

'Er nag'w i'n yn lico gwneud, fe alla i deithio i byllau hudol ymhell, bell o'm llyn bach i,' meddai'r Dŵr-lamwr yn falch, gan dorri gwynt unwaith eto.

. Trodd y Bwbach bach mewn pryd i weld y Dŵr-lamwr crintachlyd yn saethu i fyny i'r awyr cyn plymio 'nôl i grombil y pwll. Gwyliodd y Bwbach y dŵr yn tasgu nes i'r tonnau mân dawelu.

Diolchodd y Bwbach fod y bwystfil wedi mynd, a cherddodd yn wyliadwrus tuag at yr adeilad brics coch.

Er bod y Bwbach bach wedi treulio canrifoedd yn byw ynghanol nunlle, roedd wedi clywed am ysgolion o'r blaen. Yn wir, roedd wedi cyfarfod â llu o blant bach yn ei amser, gan fod nifer ohonyn nhw wedi byw yn y bwthyn dros y blynyddoedd. A dweud y gwir, roedd o'n dueddol o ymwneud mwy gyda phlant nag oedolion, gan eu bod nhw'n medru gweld

hud a lledrith yn haws na'r bobl fawr, ac wrth gwrs, roedden nhw'n llai ofnus o fwbachod!

Ond roedd o'n camu i fyd cwbwl newydd yn awr. Bu'n dyst i'r newid mawr yn ystod y blynyddoedd diwethaf – yn raddol daeth ceir a thrydan ac ynni rhyfedd oedd yn lledu ar draws y tir ar hyd y gwifrau, gan gynhyrchu golau. Roedd rhai o'r bobl ifanc wedi dechrau anghofio am hud a lledrith erbyn hyn, ac yn methu â gweld y Bwbach bach o gwbwl. Roedd meddwl am hyn yn ei wneud yn drist iawn.

'Esgusoda fi!' meddai llais o'r tu ôl iddo. Trodd i weld merch fach yn edrych arno. 'Ife... Bwbach wyt ti?'

Roedd hi'n medru ei weld!

'I... Ie. Ie' Meddai. Doedd y Bwbach bach ddim wedi siarad â pherson ers amser maith.

Erbyn hyn, deuai plant eraill allan i'r iard. Roedd hi'n amser chwarae a chyn pen dim roedd torf fechan wedi ymgasglu o'i gwmpas. Rhedodd y ferch fach o'r golwg.

Safai gweddill y plant mewn cylch o amgylch y Bwbach, gan syllu arno'n fud – rhai'n fawr, rhai'n fach, a phob un yn cadw'n ddigon pell. Rhag ofn. Syllodd y Bwbach yn gegrwth arnyn nhw hefyd.

Doedd o erioed wedi gweld cynifer â hyn o bobl o'r blaen, heb sôn am bobl oedd yn medru ei *weld* o!

Cyn bo hir, clywodd y Bwbach lais y ferch fach eto. 'Symudwch o'r ffordd plis, gad'wch i fi baso!' meddai, ac wrth i'r plant symud o'r neilltu, gwelodd y Bwbach bach fod ganddi gwpan yn ei llaw.

'Do'n i ddim yn gallu ffindo hufen, Mr Bwbach,' meddai'n betrus. 'Odi llaeth yn iawn i ti?'

Llefrith! Roedd hi'n cynnig llefrith iddo fo! Y gymwynas orau gallai unrhyw un ei gwneud i Fwbach! Estynnodd y cwpan o'i llaw, gan grynu fel deilen.

'Diolch,' sibrydodd yn ddiolchgar. Cymerodd lymaid o'r hufen a bloeddiodd y plant 'hwrê!'

Roedd y ferch wedi dotio, ac fe sbonciai yn yr unfan yn llawn cyffro. 'Wyt ti isie byw yn fy nhŷ i, Mr Bwbach?' gofynnodd. 'Mari yw'n enw i, a ma 'da fi gi bach.' Chwarddodd y Bwbach – doedd o ddim wedi teimlo mor hapus â hyn ers talwm iawn. Powliodd deigryn mawr, bodlon i lawr ei rudd.

'Diolch yn fawr iawn, Mari,' meddai, 'ond mae gen i gartref yn barod. Dwi ar goll ac yn chwilio amdano.'

'O, na! Ble gollest ti fe?'

'Y bwthyn gollodd fi. Ac er mwyn dod o hyd iddo,

mae'n rhaid imi fynd i dai Ffagan ger Caer Didius.'
Edrychodd ar wynebau pryderus y plant. 'Tybed oes
unrhyw un ohonoch chi'n gwybod y ffordd?'

Am ennyd, edrychodd y plant ar ei gilydd yn
ddi-glem. Ond yna: 'Beth am inni edrych ar y we?'
gwaeddodd rhywun o'r cefn ar dop ei lais. Cydiodd
Mari yn llaw y Bwbach bach dryslyd a'i lusgo i mewn
i'r ysgol, gyda gweddill y plant yn dynn wrth eu
sodlau. Ym mhen draw'r coridor, roedd yr ystafell
ddosbarth.

'Miss Thomas! Miss Thomas! Mae'r Bwbach yn
chwilio am ei fwthyn!' bloeddiodd Mari wrth yr
athrawes ifanc oedd yn eistedd wrth y cyfrifiadur.

'Gan bwyll bach nawr, Mari. Gad imi arbed y
ddogfen 'ma'n gynta...' Ar ôl clicio unwaith neu
ddwy, cododd yr athrawes ei golygon a chafodd fraw
o weld degau o blant yn edrych yn eiddgar arni. 'Be
sy'n bod?' holodd.

'Wnewch chi ofyn i'r we ble ma' tai Ffagan, Miss?'
gofynnodd Mari. 'A Chaer... ym... '

'Didius!' meddai llais bach o blith y plant.

'Didius... Caer Didius!' ategodd Mari.

Roedd Miss Thomas mewn tipyn o benbleth, ond
aeth yn ôl at ei chyfrifiadur a theipio'r geiriau.

 25

'Dyma ni Gastell Caerdydd,' meddai. 'Ym… gadewch inni weld nawr… mae'n dweud fan hyn bod rhai pobl yn credu fod y gair "Caerdydd" yn dod o'r enw "Caer Didius". Wel, wel! Shwt o't ti'n gwybod am hynny, Mari?'

'Y Bwbach wedodd wrthon ni,' meddai Mari. 'Odi fe'n dweud unrhyw beth am dai Ffagan sydd ar bwys y gaer, Miss?'

'S'dim angen imi edrych ar y we i wybod hynny. Dwi'n gwybod am Sain Ffagan; dyna ble mae Amgueddfa Werin Cymru. Pam wyt ti'n holi, Mari?'

'Y Bwbach sy eisiau gwybod, Miss.' Ac fe gamodd y plant o'r neilltu er mwyn gadael i'r Bwbach bach gamu yn ei flaen. Fel arwydd o barch, roedd o eisoes wedi gwneud ei hun yn weledol i oedolion, ond doedd Miss Thomas ddim wedi sylwi arno ynghanol yr holl blant. Fedrai hi ddim credu ei llygaid.

'Mr Bwbach,' meddai Mari, 'fe ddysgon ni bob dim am fwbachod y tymor dwetha. Dangosodd Miss Thomas lyfr inni, a lluniau. Mae Miss Thomas yn gwbod popeth,' esboniodd yn falch.

Moesymgrymodd y Bwbach o flaen Miss Thomas, oedd yn dal i syllu'n syfrdan arno. Gafaelodd yn ei llaw a'i chusanu'n dyner. 'Fe fyddaf yn fythol

ddiolchgar i chi am eich cymorth, f'Arglwyddes,' meddai. Cochodd Miss Thomas.

'Dewch i edrych ar hwn!' gwaeddodd Mari, oedd yn astudio map o Gymru ar y wal.

'Man hyn y'n ni,' meddai, gan osod ei bys ar y map, 'ac mae Caerdydd i lawr yn y gwaelod. A co' Sain Ffagan! Odi'n iawn i Mr Bwbach fynd â'r map gyda fe, Miss Thomas?' holodd Mari. Amneidiodd Miss Thomas, oedd yn dal mewn sioc, a thynnodd y plant y map oddi ar y wal a'i blygu'n ofalus.

Stwffiodd y Bwbach y map o dan ei gap. Cymaint oedd ei werthfawrogiad, dechreuodd dywynnu mewn llawenydd, a thasgodd gwreichion bychain ohono.

'Cer i chwilio am dy gartref, Mr Bwbach! A phan ddei di o hyd iddo fe, gawn ni ddod i dy weld di?'

'Wrth gwrs y cewch chi!' meddai'r Bwbach bach. 'A chwithau hefyd, Miss Thomas!' Cafodd Mari goflaid fawr dynn ganddo, ac yna dechreuodd y Bwbach bach lamu o gylch yr ystafell yn chwerthin yn iach wrth i'r plant floeddio'u cymeradwyaeth. Neidiodd ar y byrddau a sbonciodd oddi ar y waliau. Ar sgri wyllt aeth, yn gynt ac yn gynt, nes o'r diwedd, saethodd allan drwy ffenest agored y dosbarth gan adael cawod ysgafn o oleuadau bach disglair ar ei ôl.

Yn rhyfedd ddigon, roedd ymddangosiad y Bwbach fel petai wedi gwneud pawb – gan gynnwys Miss Thomas – yn hapus braf.

Treuliodd y Bwbach bach weddill y dydd yn gwneud ei ffordd tuag at Gaerdydd, gyda chymorth y map. Cafodd dro ar gefn bwncath yn gyntaf ac wedyn hedfan ar gefn gosog a phan ddaeth hi'n nos, hedodd ar gefn ystlum fach syn ac yna ar gefn tylluan wen – ond un braidd yn bigog oedd hi!

Wrth iddi wawrio, cyhoeddodd y dylluan eu bod wedi cyrraedd tai Sain Ffagan o'r diwedd. Roeddent wedi glanio mewn llecyn wedi ei amgylchynu â choed ffawydd cain a'r tu hwnt roedd golygfa mor wefreiddiol â phrydferthwch afallon ei hun. Rhwng hen adeiladau hynaws Amgueddfa Werin Cymru, roedd dolydd gwyrdd. Yna, daeth arogl mwg coed tân, gan atgoffa'r Bwbach bach o ddyddiau ei lencyndod, ddau gant a hanner o flynyddoedd yn ôl. Roedd hyn fel paradwys, ac am eiliad, anghofiodd y Bwbach bopeth am ei fwthyn!

O'r diwedd, aeth ati i chwilio am ei gartref, ond roedd hi'n anodd cadw meddwl ar waith oherwydd ei fod yn dotio at ysblander yr adeiladau o'i gwmpas. A dweud y gwir, bu bron iddo basio heibio pentwr o gerrig y bwthyn a fu yn gartref iddo! Roedd o'n falch iawn o'u gweld, ac yn adnabod pob carreg fel petai'n hen ffrind. Ond doedd o ddim yn deall. Pam fod y bobl a ddinistrodd y bwthyn wedi dod â nhw yma a'u gosod yn bentwr blêr fel hyn? Yna, sylwodd ar fwthyn bach oedd yn cael ei godi gerllaw. Efallai fod rhywrai'n bwriadu ailgodi ei fwthyn yntau? Roedd y syniad yn ddigon i'w syfrdanu.

Eisteddodd o dan ffawydden dal er mwyn ceisio hel ei feddyliau. Ai cael ei achub a wnaeth y bwthyn wedi'r cwbwl, yn hytrach na'i ddinistrio? Ai cael ei gludo yma, fesul carreg, oherwydd ei brydferthwch a wnaeth? Roedd y Bwbach wedi cymryd yn ganiataol mai fo oedd yr unig un a welai brydferthwch yn yr hen fwthyn.

Erbyn hyn roedd angen amser i feddwl ar y Bwbach. Roedd yr hyn a welodd wedi ei ddrysu'n llwyr, a phenderfynodd gadw llygad ar y lle o bellter am dipyn. Efallai byddai'n deall yn well wedyn. Yn y cyfamser, byddai'n rhaid iddo ymgymryd â'i ddyletswydd fel gwarchodwr i deulu oedd yn byw mewn tŷ cyfagos.

Ar ôl treulio oriau yn chwilio am gartref dros dro, dewisodd dŷ oedd â chaeau o'i gwmpas, yn bell

30

o olwg y briffordd. Symudodd i fyw i'r tŷ, a bron yn syth, daeth y ddau o blant oedd yn byw yno yn ôl adre o'r ysgol.

Gofynnodd eu tad sut ddiwrnod gawson nhw yn yr ysgol ond atebodd y plant mohono. Yn hytrach aethant i orwedd ar y soffa a phwyso botwm ar flwch bychan. Yn syth bìn, daeth 'ffenest' o liw a sŵn yn fyw yng nghornel yr ystafell. 'Hud a lledrith!' meddyliodd y Bwbach bach. Drwy'r ffenest hon gallai weld llefydd a phobl nad oedd yno, mewn gwirionedd! Penderfynodd fod hwn yn amser gwell na'r un i gyflwyno ei hun, ond am ryw reswm, doedd y plant ddim yn medru ei weld. Neidiodd a sgipiodd a dawnsiodd y Bwbach o'u blaenau, ond roedd llygaid y plant fel soseri, yn syllu ar y 'ffenest' ryfedd ym mhen draw'r stafell.

Doedd y Bwbach bach ddim yn deall y peth. Oedd swyn dieflig wedi ei osod ar y plant? Cyn bo hir roedd hi'n amser swper a diffoddodd eu tad y 'ffenest'.

Llusgodd y plant eu traed at y bwrdd bwyd ond roedd ganddyn nhw 'ffenestri' bach eraill – yng nghledr eu llaw y tro hwn – a hyd yn oed wrth fwyta, roedden nhw'n syllu arnyn nhw. Roedd y 'ffenestri' yma'n dangos pethau nad oedd yno, felly pam nad oedden nhw'n medru gweld y Bwbach bach?

Cafodd y Bwbach syniad. Byddai'n rhaid iddo gyhoeddi ei bresenoldeb mewn ffordd arall. Penderfynodd byddai'n troi popeth yn llofftydd y plant ben i waered! Yn gyntaf aeth i ystafell y bachgen, ond roedd popeth ben ucha'n isaf yn barod! Roedd trugareddau ym mhobman, nes ei bod hi'n amhosib gweld y llawr. Doedd dim modd iddo greu mwy o lanast nag oedd yno'n barod felly mentrodd i ystafell y ferch. Ond yr un stori oedd hi'n y fan honno hefyd. Blerwch ym mhobman!

A dyna pryd y sylweddolodd y Bwbach rywbeth ofnadwy: efallai mai diog oedd y plant! Roedd y ddau mor wahanol i'r plant a welodd yn ysgol Mari. Fe wyddai fod plant diog i'w cael, wrth gwrs, ond doedd o erioed wedi cyfarfod â rhai o'r blaen.

Er gwaethaf popeth, doedd y Bwbach bach ddim eisiau meddwl y gwaethaf o'r ddau blentyn felly penderfynodd roi'r bai ar yr ynni trydanol oedd yn y tŷ. Roedd wedi clywed sôn am drydan amser maith yn ôl, yn ei fwthyn bach, a gwyddai'n syth na ddôi dim da o'r peth. 'Rhywbeth newydd' oedd o – a doedd y Bwbach bach ddim yn hoffi pethau

newydd. Dewisodd anghofio'r ffaith fod trydan yn ysgol Mari hefyd.

Byddai'n rhaid iddo wneud rhywbeth er mwyn amddiffyn y tŷ, ond doedd arno ddim eisiau gwneud unrhyw beth byrbwyll. Roedd ei fwthyn ei hun yn ddiogel am y tro, felly treuliodd ei ddyddiau yn gwylio'r teulu newydd. Er na chafodd lefrith na hufen ganddyn nhw, penderfynodd helpu'r oedolion wrth eu tasgau dyddiol. Gweithiai y tad o'r tŷ, ond doedd hi ddim yn rhy anodd i'r Bwbach sgubo a glanhau yn dawel bach o'i gwmpas heb iddo sylwi. A phan ddeuai'r fam adref, roedd hi wastad yn hynod falch o weld y lle'n edrych mor lân a thaclus.

Ond roedd y plant yn gwneud i'r Bwbach deimlo'n drist. Roedden nhw'n anfoesgar a byth yn dweud 'os gwelwch yn dda' na 'diolch'. Mor wahanol oedden nhw i Mari a'i ffrindiau! O dipyn i beth, dysgodd mai enwau'r 'ffenestri' oedd 'teledu', 'ffôn' a 'cyfrifiadur', a daeth yn amlwg fod y pethau hyn, oedd yn cael eu pweru gan drydan, wedi swyno'r plant yn llwyr. Druan â nhw!

Daeth y dydd pan benderfynodd y Bwbach bach adael y tŷ. Bu yno'n rhy hir, ac roedd hi'n hen bryd dychwelyd at ei orchwyl gwreiddiol a mentro 'nôl i'w gartref ei hun. Tybiai'n siŵr fod y bwthyn bach wedi ei ail-godi bellach, ac roedd ei angen yn y fan honno. Ond roedd ganddo un peth ar ôl i'w wneud cyn gadael tŷ'r teulu. Roedd y Bwbach wedi dechrau tosturio wrth anwybodaeth y plant, felly penderfynodd wneud un gymwynas fawr â nhw cyn gadael.

Pan ddychwelodd y plant o'r ysgol y diwrnod hwnnw, a mynd ati i danio'r teledu yn ôl eu harfer, fe ffrwydrodd y teclyn gyda 'chlec!' fyddarol, fwglyd. Digwyddodd yr un peth i bob 'ffenest' arall yn y tŷ. Pan neidiodd eu ffonau symudol i'r awyr a chlecian, fe sgrechiodd y plant, a chafodd yr oedolion fraw pan dasgodd gwreichion a mwg o'u cyfrifiaduron!

Gan fod 'swyn y trydan' wedi ei dorri, gallai'r plant a'u rhieni weld y Bwbach bach o'r diwedd. Roedden nhw'n syfrdan! Fe syllon nhw'n gegrwth ar y ffigwr bach a safai'n falch ynghanol y lolfa. Moesymgrymodd.

'Does dim angen i chi ddiolch imi,' meddai'r Bwbach yn ddiymhongar. 'Roedd hi'n ddyletswydd arna i a dwi'n falch fy mod wedi medru bod o wasanaeth i chi.' A gyda hynny, ffarweliodd, gan deimlo'n fodlon iawn ei fyd.

Aeth y Bwbach yn ei flaen i Sain Ffagan, i'r lle roedd wedi gadael y pentwr o gerrig fu unwaith yn gartref iddo. O'i flaen, safai'r bwthyn, yn gyflawn ac yn berffaith! Serennai'r tŷ yn llachar yn haul y prynhawn – yn lanach a thlysach nag a welodd ef erioed o'r blaen.

Teimlodd y waliau gyda'i ddwylo bach a sylweddolodd fod pob carreg wedi ei gosod yn ôl yn union fel o'r blaen, cyn i'r bwthyn gael ei symud o'r gogledd i'r de. Roedd y ffenestri'n gyflawn a'r to wedi ei drwsio. Oedodd am eiliad wrth y drws. Yna fe'i gwthiodd led y pen a mentro i mewn.

Roedd yr ystafell fawr wedi ei dodrefnu yn union fel pan oedd y bwthyn yn newydd. Ochneidiodd y Bwbach bach – nid oherwydd yr holl atgofion a ffrydiai'n ôl – ond oherwydd fod powlen fawr ar y bwrdd o'i flaen, yn llawn hufen.

'Croeso adref, Fwbach Bach,' meddai rhywun. A dyna pryd y gwelodd fod dyn yn eistedd wrth y lle tân. 'Fi yw gofalwr yr adeilad,' meddai.

Cyflwynodd y dyn y bowlen o hufen i'r Bwbach bach, a llowciodd y cyfan yn awchus ar ei ben.

'Roeddwn innau'n arfer byw yn y gogledd, ddim yn bell o'r bwthyn yma fel mae'n digwydd,' meddai'r

dyn. 'A dweud y gwir, roedd o'n gartref i un o'm hathrawon, a ro'n i'n gwybod fod Bwbach yn byw yno. Roedd yr athrawes yn canu dy glodydd yn aml iawn. Dwi'n gobeithio y byddi di'n hapus iawn yma.' Roedd y dyn yn gwenu. A gwyddai'r Bwbach bach fod y gofalwr yn gweddu'r lle i'r dim. Ac mai yno oedd yntau i fod.

Y noson honno, roedd y Bwbach bach yn eistedd wrth ymyl y ffenest yn y bwthyn clyd, gan syllu ar yr olygfa hyfryd tu allan, pan ddaeth cnoc ar y drws. Aeth i'w agor ac ar y rhiniog, er mawr syndod iddo, roedd criw o greaduriaid hudol o bob lliw a llun: pwcaod, bwci bos, bwganod – ac ambell Fwbach, hyd yn oed! Ei gymdogion newydd oedden nhw, a phawb wedi dod draw am barti i'w groesawu!

Roedd dyddiau'r Bwbach bach yn Sain Ffagan yn fêl i gyd. Yn ystod y dydd, byddai'n sicrhau bod yr ymwelwyr ifanc yn parchu'r bwthyn, a gyda'r nos byddai'n ymddiddan gyda'i gyfeillion hudol o'r tai eraill. Ac un diwrnod arbennig, yn ôl ei haddewid, daeth Miss Thomas â Mari a'i ffrindiau i roi tro amdano yn ei fwthyn clyd...Ond stori arall ydi honno.